# Lila e Matilha em: A Horta Guloseima

Escrito por Fernanda de Oliveira
Ilustrações de Guilherme Batista

1ª edição

GIRASSOL

**Dados Internacionais de Catalogação na Publicação (CIP)**
**Angélica Ilacqua CRB-8/7057**

Oliveira, Fernanda de
  Lila e Matilha em : a horta guloseima /
Fernanda de Oliveira ; ilustrações de Guilherme
Batista. -- Barueri, SP : Girassol, 2018.
  24 p. : il., color.

ISBN 978-85-394-2406-1

1. Literatura infantojuvenil I. Título II. Batista, Guilherme

18-2168                                           CDD-028.5

**Índices para catálogo sistemático:**

1. Literatura infantil    028.5
2. Literatura infantojuvenil    028.5

© 2018 do texto e idealização das ilustrações por Fernanda de Oliveira

Publicado no Brasil por
**GIRASSOL BRASIL EDIÇÕES EIRELI**
Al. Madeira, 162 – 17º andar
Sala 1702 – Alphaville
Barueri – SP – 06454-010
leitor@girassolbrasil.com.br
www.girassolbrasil.com.br

Direção editorial: Karine Gonçalves Pansa
Coordenação editorial: Carolina Cespedes
Assistente editorial: Talita Wakasugui

É vedada a reprodução deste conteúdo sem prévia autorização da autora.
Todos os direitos reservados.

*Para Vovó Elisa, que em sua horta me cultivou com esmero e muito talento.*

Sabe essa nova mania de que toda comida tem que ser orgânica e natural, tipo barrinha de cereal? É uma moda que pega. Pega igual a Matilha, a cadela da Lila! Que abocanha e traz de volta toda bola que a Lila lança. Mesmo as que vão lá longe...

Por falar em Lila, ela é um bom exemplo, essa moda de ser natureba já a pegou faz muito tempo. Ela, o pai, a mãe, a avó... sem exceção. Mas no caso deles foi bem falta de opção.

É que eles moram na fazenda, e lá a vida acaba sendo bem natural.

Mas por isso Lila fica se sentindo um pouco mal. Como diz aquele ditado famoso, "Casa de ferreiro, espeto de pau", e no caso da menina quer dizer: "Casa que tem pomar e horta, Lila quer mesmo é fruta da compota".

Apesar de viver na Fazenda Engrenagem, o sonho da Lila era viver na cidade. E poder comer as melhores guloseimas à vontade.

Ficava imaginando pacotes de bolachas recheadas, salgadinhos, embalagens de pirulitos e balas. Também cachorro-quente, sorvetes e refrigerantes (daqueles cheios de bolhas flutuantes).

Em vez de brincar e correr pelo mundo afora, ela só gostava de ficar deitada dentro de casa ou no pomar para dar "asas à imaginação". E essas asas sempre levavam Lila para uma fábrica fantasiosa, que ela apelidou de Gulosa, onde ela podia ver a produção e comer ainda bobeiras em grande porção.

Como dentro da cachola a gente faz só o que mais gosta, Lila nadava nos tanques de chocolate e se enrolava no macarrão de micro-ondas, os sem tomate. Empanturrava-se com *nuggets* e batata frita de saquinho, bem artificial, por sinal. Sentava-se nas esteiras enquanto as máquinas embalavam as paçocas e caramelos em pacotes amarelos.

Assistia à mágica do suco lilás em pó, de caixinha, e até de palito... E se deliciava com aquelas calorias em litros.

Até que, em um dia desses, dia de ficar esticado ao chão... Lila estava na fábrica que tanto amava, mas desta vez se viu pequena como um dado, que dava até para a menina entrar no maquinário. Nem podia acreditar que estava de fora daquele cenário, na verdade tão agrário.

Um chocolatinho virou chocolatão, chiclete, um "chicletão". Tudo estava grandioso.

Matilha também estava pequenina, ao contrário de sua ração canina. Esta sim virou uma "raçãozona", tipo aquelas de pacote com foto de cachorro feliz, e caíam aos montes feito chafariz.

Lila e Matilha tão pequenas na fábrica? Que divertido! Mas só que, quando Lila abriu os olhos, se mantivera ainda do tamanho de um dedal, só que no mundo real. Ela realmente havia pousado a imaginação no lugar certo, estava como antes na horta de sua morada, mas havia esquecido seu tamanho lá longe na fábrica.

— Essa não! — falou Lila. — Continuo pequena como um palito. Assim me desespero e dou um grito! Buáááá!
Olhou para cima e viu as plantas passarem de sua cabeça:
— E como vou voltar a ser grande e forte, com tanta destreza? Desvirar, reinventar na imaginação é fácil, sei esses truques de cor. Mas na vida de verdade é outra coisa, tenha dó! Estou do tamanho deste jiló! Eca!
Na hora do desespero, nada melhor que uma companheira guerreira! Então...
— Matilha, cadê você? Sniffff! — Podia-se dizer que era só um cão, mas ela valia por um milhão (ela fazia jus sim ao coletivo que significava seu apelido).
Matilha apareceu toda serelepe latindo e brincando com a Lila, e na lágrima deu uma lambida, como se quisesse dizer: "Não chore, minha querida".

"Ufa! Ainda bem que você também está nanica, nada mais reconfortante que encolher com a melhor amiga" — pensou sabiamente Lila.

Resolveram então, as duas, dar uma espiada no lugar, mas Lila reconhecia sim, era o seu pomar! Conhecia-o como a palma de sua mão, mas agora na sua poderia caber apenas um grão. O que fazer nesta condição? Oh! Que medo!!!

Deste ângulo o terreno era misterioso, capim parecia floresta, pedrinha virava montanha, folhas, um matagal, e poça? Um largo manguezal... e assim por diante. E, no mesmo instante, viram algo grande reluzir lindamente, algo vermelho e brilhante. Lila e Matilha se puseram logo a correr. O que seria aquilo, o que poderia ser?

Seria um castelo de tesouro, todo avermelhado e decorado com pontos de ouro?
Lila suspirou:
— Que maravilha de se ver!!! É de lamber? — E já inquieta: — Matilha, não! Pare de lamber a casa dos gnomos da floresta, eles não vão gostar de uma atitude como esta! Matilha, venha cá neste momento! Assim estamos desrespeitando este lindo aposento!
E já desistindo e cedendo também:
— Ah! Então me diga, pelo menos o gosto é bom? É, o que custa uma lambidinha, não é mesmo? Hum! Slep! E não é que é apetitoso?! E bem saboroso!
E, entre lambidas, chega um monstro de seis patas muito gigante! Oh, não! Era uma formiga falante:
— Olá, Lila e Matilha!
As duas respondem com um grito apavorado:
— Ahhhhhhhhhh!
— Cain, cainnnnnnnn!

—Não me devore, monstrengo formigão! — disse Lila, caída de bumbum no chão.

—Devorar humanos? Qual seria a razão? Tenho tanta guloseima para dar e vender por aqui. — E numa bocada comeu metade daquela casa de purpurina enfeitada.

Matilha, já encorajada, mordeu o castelo também e ficou enfeitiçada, tornando-se, como magia, um pouquinho mais avantajada.

De sobressalto, Lila falou:

—Com licença, Rei Formigão, por que come seu próprio casarão?

—Lila, não reconhece? Isto é um morango silvestre!

—Uau, eu não acredito! Como pode ser de perto tão bonito? — Lila podia confiar naquela formiga alteza, era realmente um morango para sua surpresa. Seu atual tamanho havia lhe pregado uma peça e, sim, parecia apetitosa aquela remessa. E foi em um golpe só que deu aquela mordida.

E puft! Lila cresceu enfim! Um tantinho só assim!

—Como pode ser tão gostoso um simples morango para mim? Matilha, essa nossa altura alterou o nosso paladar? Essa é a única explicação que posso dar!

E abriu um pequeno sorriso, também, né, crescer era um alívio, mas também um aviso.

—Uau! Que bom e estranho! O morango fez nós duas mudarmos de tamanho!

Lila percebeu que entre a planta e aquele "formigueiro-cidade", havia muita cumplicidade. Microscopicamente falando, é claro!

A colônia defendia a plantação de morangos dos grandes predadores. Era uma verdadeira tropa funcionando, bem nos bastidores. Em troca, podiam de graça comer aquele açúcar vermelho a valer.

Logo mais à frente, encontraram um bosque de alface e tomilho. E você não imagina como era divertido!

Balançavam-se nos pequenos cipós cebolinhas, brincavam no tobogã-couve e na gangorra de salsinha. Parecia um grande "Parque de Plantação", tinha até uma maçã do amor esborrachada no chão. Olhando a fruta já cobiçada, Lila e Matilha deram aquela dentada, quando ouviram um "olá" de uma voz bem malvada.

Era uma cobra que saía de sua toca!
De medo, acabaram escorregando para o outro lado, e caíram logo em um túnel irado. Parecia que não tinha fim, até chegar em um miolo de ninhada com muita cobra agrupada.
— Ahhh! Acode! Santa Balinha do Socorro! Estamos perdidas!
Depois daquele grito de terror, o bicho se colocou a seu dispor:
— Lila, não sabe quem eu sou? Eu sou a Minhoca Mor, que sua avó criou!
— Matilha, eu estou sonhando ou a "maiorzona" falou com a gente?
— Aqui não é a maior zorra não, nossos túneis são bem organizados, com sinais de trânsito e trilhos controlados. Temos até um "Minhocão" próprio e faixa de pedestre para visitante! E eu aqui é que sou o comandante!

— Desculpe, Sr. General, mas para que tanto túnel no meu quintal? Estão parecendo uma quadrilha fugitiva ou vampiros que odeiam a luz do dia!

— Nada disso, Lila. Sua avó, muito esperta, sabia que criar minhocas é um bom motivo para quem quer ter um bom cultivo! Nós fazemos a diferença, para pepino ou até para pimenta. Construímos galerias subterrâneas, onde ar e água têm passagens livres, para todas as raízes.

— Até que minhocas são gente fina, Matilha! Tão finas que passam até em buraco de fechadura! Ah, ah, ah! — disse Lila, colocando a mão na cintura.

E a gargalhada de todos ecoou por todas as aberturas... Até pelas cavernas com vista panorâmica para as cenouras, beterrabas, batatas, mandiocas...

   Tinha também a ala do esterco, atrás das plantações de cebola e alho, que disfarçavam bem o mau cheiro. Antes que pense: "Mas que horror!", vou explicar o porquê da coleção de cocô.
   Com pitadas de ciência e muita lambança, as minhocas cientistas faziam do esterco a comida de planta. Lila mostrava para sua cadela:
   — Olha, Matilha! Elas depois até etiquetavam na esteira a palavra "húmus", em cada sacola. Deve ser o nome do laboratório de minhoca. Quer saber? Gostei dessa engenhoca!
   De tanto "beliscar" os vegetais, as duas tinham crescido um pouco mais. E, pelo bem das tocas, decidiram acima do solo dar algumas voltas.

Na superfície, Lila e Matilha perceberam que haviam chegado no pomar, e um ramalhete de flores estava ali para as recepcionar.

— Que lindas as flores, mas por que estão aqui em um pomar se delas não podemos nos alimentar?

— Com licença! Se me permitem explicar, esta é a flor de romãzeira, a árvore que dá a romã! — disse alguém com uma voz fininha que parecia cortar o ar. Era um beija-flor ao vivo e de muitas cores a lhes falar.

— Nossa! Como você é brilhante e educado! Com estas asas de ventilador e bico tão delicado! Romã? Sim, agora me lembro! Já colhi muitas neste pomar, mas nunquinha tive coragem de provar — Lila tentava imitar a graciosidade da ave.

Sr. Bicota, aquele beija-flor para os mais íntimos, trouxe uma sementinha rosa para a menina saborear:

— Lila, pense que é uma balinha de *tutti fruti*. Com este gosto não se discute! — E a menina experimentou.

— Hum! Realmente, que gostoso! — Lila fechou os olhos, e pensou o quanto de tempo isto evitou. Havia perdido muito sonhando com "gulodices". Mas que tolice!

Uma "balinha-romã" daquela, do tamanho de um dente, bem-feita, gelatinosa e transparente. Que linda!

E também provou, de enxerida, um pedacinho de melancia e mexerica!

E, pluft! Cresceu mais uma polegada e se olhou abrindo a boca completamente abismada!

Matilha se encantava com as asas do Sr. Bicota, estava completamente hipnotizada. Qual seria o mistério delas?

— Bato-as tão rápido que o olho não acompanha. Com elas pairo no ar e as flores posso beijar.

Uma borboleta pequena, que até agora só espreitava, completou a oração:

— E com este beijo acontece a polinização!

Com tanta biologia e doçura, Lila se empolgou com a nova figura:

— Poderíamos ser fadas da natureza por um dia como vocês? De carona, eu e Matilha espalharíamos um pólen de cada vez. Digam que sim!

Matilha sem medo foi pega pela Fofoleta, e Lila subiu no beija-flor, como se fosse uma pulga ambulante.

— As árvores, aqui de cima, parecem brócolis de tão pequeninas. O ponto de vista engana o próprio ato de olhar! Imaginem o tal do paladar? — pensava alto Lila, literalmente.

Depois, rasantes nas flores faziam, pensando nos frutos que delas um dia se formariam. Rodopiaram e enfim aterrissaram! Só que Fofoleta, a borboleta, errou a mira perfeita e acabou parando dentro do galinheiro com um monte de galinhas à espreita.

Imagine uma revoada só de galinhas assanhadas tentando bicar Matilha, que latia assustada. Ciscalhona, a galinha sabichona, logo percebeu que aquele borrão cor de baunilha se tratava da cachorra Matilha.

Cacarejou na língua delas e todas pareceram entender, porque abriram caminho para aquela galinha de poder.

Matilha, assustada, agarrou o pé da galinha, mostrando língua para o resto. Pois é, Ciscalhona havia encontrado a cachorra no galinheiro, como quem acha agulha no palheiro! Já sã e salva, Matilha agarrou Lila com o rabo, como quem diz: "Que sufoco danado!".

Ciscalhona mostrou sua filharada, e Lila e Matilha experimentaram milho com os pintinhos da ninhada. E perceberam que milho, só se for cozido (ah, ah, ah). Provaram também abóbora, lentilha e ervilha. Lila até achou saborosa aquela bolinha verde (além de divertida).

Conheceram o amigo mico que chegou também. Miqui era um pequeno macaco do cerrado que espalhava semente para todo lado.

Contava orgulhoso:

— Da copa das árvores posso colher banana, manga e fruta-do-conde. Frutos são vitaminas e minerais que a casca esconde. Ali, pego caqui e kiwi. Embaixo, mamão e melão.

E do outro lado, acerola e amora.

E um truque Miqui ensinou, enquanto comia abacate:

— Jogue mel devagarinho, e aí sim se lambuze todinho.

Todos morriam de rir com as gracinhas de Miqui.

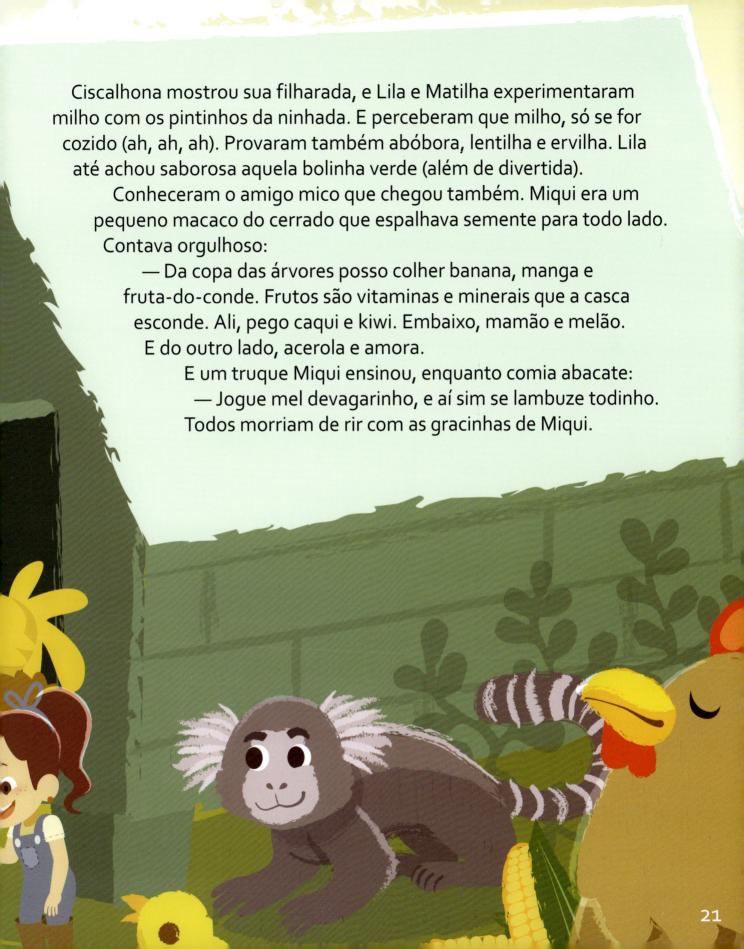

Até que Lila e Matilha perceberam que estavam grandes como antes.

Olharam-se e já sentiam saudade de toda aquela turma, das novas amizades. Bichos sem maldade, que mostraram o que era comida de verdade.

A menina entendera que a grande fábrica mãe era sim a natureza. Com suas engrenagens vivas, produz tanta variedade e é cheia de criatividade. Guarda com carinho seu melhor nutriente, bem protegido e embrulhado para presente.

Achou por bem que fábrica de guloseimas só de vez em quando, feriado ou batizado, ou para enfeitar aniversário! E Lila entrou na cozinha gritando a novidade:

— Vovó, um beija-flor me contou que existem mais de 5 mil frutas e verduras no mundo!

E vovó Elisa falou:

— Tchururu! — Era como sua avó lhe chamava. — Andou lendo minha enciclopédia?

Lila contou toda a sua aventura, e vovó sorriu orgulhosa da fértil imaginação de sua neta! Ela não havia acreditado que tudo acontecera de verdade. Mas, tudo bem! Lila sabia que experiência de criança só quem vive mesmo é quem a tem viva na lembrança.

Lila beijou sua avó com carinho, pegou uma lupa e duas cenouras e saiu pela porta, pois sua grande brincadeira agora estava ali em seu jardim, em sua própria horta.

# CANAL DA Fê Liz

**Fê Liz** é um canal literário e musical no YouTube criado com carinho para crianças e adultos que também adoram nostalgia e literatura. Fê Liz conta histórias, canta e indica vários livros, espalhando cultura e incentivo à leitura.

Assista aos vídeos e se increva:

 youtube.com.br/c/CanaldaFeLiz

Aponte a câmera do seu celular para a imagem abaixo ou use um leitor QR code para acessar o canal.